Rymowanki

Rymowanki

ARYSTOTELES

PRZEDSIĘBIORSTWO WYDAWNICZO - HANDLOWE

Zabawy dla najmłodszych

Idzie myszka do braciszka

(słowa tradycyjne)

Idzie myszka
do braciszka.
Tu wskoczyła,
Tam się skryła.

Sroczka kaszkę warzyła

(słowa tradycyjne, opracowała Zofia Rogoszówna)

Sroczka kaszkę warzyła,
Dzieci swoje karmiła:
Pierwszemu dała na miseczce,
Drugiemu dała na łyżeczce,
Trzeciemu dała w garnuszeczku,
Czwartemu dała w dzbanuszeczku,
A piątemu łeb urwała
I frrrr… do lasu poleciała.

Kominiarz

Idzie kominiarz
Po drabinie…
Fiku, miku,
Już jest
w kominie.

Idzie rak

Idzie rak
Nieborak.
Czasem – naprzód,
Czasem – wspak.
Jak uszczypnie,
Będzie znak.

Tosi, tosi łapci

(słowa tradycyjne)

Tosi, tosi łapci, pojedziem do babci,
babcia da nam kaszki, a dziadzio okraszki.
Tosi, tosi łapci, pojedziem do babci,
babcia da pierożka i tabaczki z rożka.
Tosi, tosi łapci, pojedziem do babci,
od babci do cioci, ciocia da łakoci.
Tosi, tosi łapci, pojedziem do babci,
od babci do mamy, mama da śmietany.
Tosi, tosi łapci, pojedziem do babci,
od babci do taty, jest tam pies kudłaty.

Leciała osa...

(opracowała Zofia Rogoszówna)

Leciała osa do psiego nosa,

pies śpi.

Leciała mucha do psiego ucha,

pies śpi.

Leciała sroka do psiego oka,

pies śpi.

Leciała wrona

do psiego ogona,

pies śpi.

Przyleciał kruk,

dziobem w bok stuk,

pies „wau!"

Kiciu, kiciu, kiciu miła

(opracowała Zofia Rogoszówna)

Kiciu, kiciu, kiciu miła,

Powiedz, kiciu, gdzieś ty była?

– Miau, miau w ogródeczku,

miau, miau przy pieseczku.

Kiciu, kiciu, kiciu miła,

gdzieś ty bródkę umoczyła?

– Miau, miau, w komóreczce

Miau, miau na półeczce.

– Toś ty mleko piła z miski?

A psik, kiciu, idź na myszki!

Jedzie, jedzie pan…

(słowa tradycyjne)

Jedzie, jedzie pan, pan,
Na koniku sam, sam.
A za panem chłop, chłop,
Na koniku hop, hop!

Maria Konopnicka

Pojedziemy w cudny kraj

Patataj, patataj,
pojedziemy w cudny kraj!
Tam gdzie Wisła modra płynie,
Szumią zboża na równinie,
Patataj, patataj...
A jak zowie się ten kraj?

Tańcowały dwa Michały

(słowa tradycyjne)

Tańcowały dwa Michały,
Jeden duży, drugi mały,
Jak ten duży zaczął krążyć,
To ten mały nie mógł zdążyć.

Tańcowały dwa Michały,
Jeden duży, drugi mały,
Tak tańcują dookoła,
Aż im pot się leje z czoła.

Tańcowała ryba z rakiem,
A pietruszka z pasternakiem.
Cebula się dziwowała,
Że pietruszka tańcowała.

Tańcowała śliwka z banią,
Grochowianka z miotłą za nią!
A pogrzebacz się dziwuje,
Że i miotła też tańcuje.

Nie chcę cię, nie chcę cię

(słowa i melodia tradycyjne)

Nie chcę cię, nie chcę cię, nie chcę cię znać,
Chodź do mnie, chodź do mnie, rączkę mi dać,
Prawą mi daj, lewą mi daj,
I już się na mnie nie gniewaj,
Prawą mi daj, lewą mi daj,
I już się na mnie nie gniewaj.
Rymowanki do zabaw w kole

Mało nas do pieczenia chleba

(słowa i melodia tradycyjne)

Mało nas, mało nas
do pieczenia chleba,
Tylko nam, tylko nam
Ciebie tu potrzeba!

Dużo nas, dużo nas
do pieczenia chleba,
Więc już nam, więc już nam
Ciebie tu nie trzeba!

Baloniku nasz malutki

(słowa tradycyjne)

Baloniku nasz malutki,
Rośnij duży, okrąglutki,
Balon rośnie, że aż strach,
Przebrał miarę, no.. i trrrach!

Kółko graniaste...

(słowa tradycyjne)

Kółko graniaste, czworokanciaste,
Kółko nam się połamało,
Cztery grosze kosztowało,
A my wszyscy BĘC!

Stary niedźwiedź mocno śpi

(słowa i melodia tradycyjne)

Stary niedźwiedź mocno śpi,
stary niedźwiedź mocno śpi,
my się go boimy, na palcach chodzimy,
jak się zbudzi, to nas zje,
jak się zbudzi, to nas zje.

Pierwsza godzina niedźwiedź śpi,
druga godzina niedźwiedź chrapie.
trzecia godzina niedźwiedź łapie!

Mam chusteczkę haftowaną

(słowa i melodia tradycyjne)

Mam chusteczkę haftowaną, co ma cztery rogi,
kogo kocham, kogo lubię, rzucę mu pod nogi.
Tej nie kocham, tej nie lubię, tej nie pocałuję,
a chusteczkę haftowaną tobie podaruję.

Moja Ulijanko

(słowa i melodia tradycyjne)

Moja Ulijanko, klęknij na kolanko,
Podeprzyj se boczki,
Chwyć się za warkoczki,
Umyj się
Uczesz się
i wybieraj kogo chcesz...

Stoi różyczka

(słowa i melodia tradycyjne)

Stoi różyczka
W czerwonym wieńcu,
My się kłaniamy
Jako książęciu.
Ty różyczko dobrze wiesz,
Dobrze wiesz, dobrze wiesz,
Kogo kochasz, tego bierz,
Tego bierz.

Karuzela

(słowa i melodia tradycyjne)

Chłopcy i dziewczęta, hej, dalej, spieszmy się!

Karuzela czeka, wzywa nas z daleka.

Starsi już poszli, a młodsi jeszcze nie.

Hej, hopsasa, jak ona szybko mknie,

Hej, dalej, dalej do zabawy spieszmy się!

Rolnik sam w dolinie

(słowa i melodia tradycyjne)

Rolnik sam w dolinie, rolnik sam w dolinie.

Hejże, hejże, hejże ha, rolnik sam w dolinie.

Rolnik bierze żonę, rolnik bierze żonę,

Hejże, hejże, hejże ha, rolnik bierze żonę.

Żona bierze dziecko, żona bierze dziecko.

Hejże, hejże, hejże ha, żona bierze dziecko.

Dziecko bierze nianię, dziecko bierze nianię.

Hejże, hejże, hejże ha, dziecko bierze nianię.

Niania bierze kotka, niania bierze kotka.

Hejże, hejże, hejże ha, niania bierze kotka.

Kotek bierze myszkę, kotek bierze myszkę.

Hejże, hejże, hejże ha, kotek bierze myszkę.

Myszka bierze serek, myszka bierze serek.

Hejże, hejże, hejże ha, myszka bierze serek

Ser zostaje w kole, bo nie umiał w szkole

Tabliczki mnożenia ani podzielenia.

Inne zabawy

Jedzie pociąg z daleka…

(słowa i melodia tradycyjne)

Jedzie pociąg z daleka,
Ani chwili nie czeka,
Konduktorze łaskawy,
Zabierz nas do Warszawy,
Konduktorze łaskawy,
Zabierz nas do Warszawy.

Trudno, trudno to będzie,
Dużo osób jest wszędzie,
Do pociągu wsiadajmy,
Do Warszawy ruszajmy.

Zasiali górale…

(słowa i melodia tradycyjne)

Zasiali górale owies, owies,
od końca do końca. Tak jest, tak jest!

Zasiali górale żyto, żyto,
od końca do końca wszystko, wszystko.

A mom ci ja mendelicek,
w domu dwa, w domu dwa,

U sąsiada świarnych dziewuch
gromada, gromada.

A mom ci ja trzy mendele,
w domu dwa, w domu dwa,

Żadna mi się nie podoba,
tylko ta, tylko ta.

Ojciec Wirgiliusz

(słowa i melodia tradycyjne)

Ojciec Wirgiliusz
uczył dzieci swoje,
a miał ich wszystkich
sto dwadzieścia troje.

Hejże dzieci, hejże ha!
Hejże ha, hejże ha!
Róbcie wszystko co i ja,
co i ja.

Jawor, jawor

Jawor, jawor,
jaworowi ludzie,
co wy tu robicie?
Budujemy mosty
dla pana starosty.
Wszystkie konie przepuszczamy,
a jednego zostawiamy.

Gąski, na pole!

(zabawa tradycyjna)

– Gąski, na pole!

(gęsi odbiegają)

– Gąski, boicie się?
– Boimy!
    – Czego?
    – Wilka.
– Gdzie on?
– W boru.
    – Co robi?
    – Gąski skubie.
– Jakie ma ręce?
– Jak obręcze.
    – Jakie nogi?
    – Jak obrogi.
– Jakie uszy?
– Jak obrusy.
    – Jaka szyja?
    – Jak obryja.
– Jaka głowa?
– Jak wołowa.

21

Dwa aniołki w niebie

Dwa aniołki w niebie
Piszą list do siebie,
jakim atramentem?

Wpadła bomba do piwnicy

Wpadła bomba do piwnicy,
napisała na tablicy:
ES O ES głupi pies.
Jeden oblał się benzyną,
drugi dostał w łeb cytryną,
a trzeciego gonią psy.
I wypadniesz – raz dwa trzy
za żelazne drzwi numer sto dwadzieścia trzy!

Ene due like fake

Ene due like fake,
korba borba esme smake,
deus deus kosamateus
i morele baks.

Trumf, trumf

Trumf, trumf, Misia, Bela,
Misia, Kasia, Kąfacela,
Misia a, Misia be,
Misia, Kasia, Kąface.

Pan Sobieski…

Pan Sobieski
Miał trzy pieski.
Czerwony-zielony-niebieski.

Na wysokiej górze

Na wysokiej górze
rosło drzewo duże,
nazywało się:
apli-popli-blite-blau,
a kto tego nie wypowie,
ten nie będzie grał.

Na wysokim moście…

Na wysokim moście
Bili się dwaj goście
O której godzinie?

Chodzi lisek koło drogi

Chodzi lisek koło drogi,
cichuteńko stawia nogi,
cichuteńko się zakrada,
nic nikomu nie powiada.

Szły pchły koło wody

Szły pchły koło wody.
pchła pchłę pchła do wody.
a ta pchła płakała,
że ją pchła
wepchała.

Siała baba mak

Siała baba mak,
Nie wiedziała jak,
A dziad wiedział,
Nie powiedział,
A to było tak!

Palec pod budkę

Palec pod budkę,
Bo za minutkę…
Już jest minutka,
Zamknięta budka!

Pałka zapałka

Pałka zapałka,
Dwa kije!
Kto się nie schował,
Ten kryje!

Zgaduj, zgadula

W której ręce złota kula?
Ence-pence, w której ręce?

Biedroneczko, leć do nieba

Biedroneczko, leć do nieba,
Przynieś mi kawałek chleba!

Ecie pecie, gdzie jedziecie?

Ecie pecie,
gdzie jedziecie?
Do Torunia,
kupić konia.
Bo w Toruniu
pięknie grają,
za pieniądze
wszystko dają.

Siedzi baba na cmentarzu

Siedzi baba na cmentarzu,
trzyma nogi w kałamarzu.
Przyszedł duch,
babę buch,
baba fik, a duch znikł.

Toczył zając wielką dynię

Przez tropiki, przez pustynię
Toczył zając wielką dynię.
Toczył, toczył dynię w dół,
Pękła dynia mu na pół!
Pestki z niej się wysypały,
Więc je zbierał przez dzień cały.
Raz, dwa, trzy! Ile pestek zbierzesz Ty!?

Idzie sobie Huckleberry

Raz, dwa, trzy, cztery,
idzie sobie Huckleberry,
za nim idzie misio Jogi,
co ma strasznie krótkie nogi,
a za nimi Pixi-Dixi,
co się kąpią w proszku ixi.

Ele mele dudki

Ele mele dudki,

gospodarz malutki

gospodyni jeszcze mniejsza,

ale za to robotniejsza.

Beksa lala

Beksa lala

Pojechała

Do szpitala.

A w szpitalu

Powiedzieli:

Takiej beksy

Nie widzieli.

W pokoiku na stoliku

W pokoiku na stoliku stało mleczko i jajeczko.
Przyszedł kotek wypił mleczko,
a ogonkiem stłukł jajeczko.
Przyszłą mama kotka zbiła,
a skorupki wyrzuciła.
Przyszedł tatuś kotka schował,
a mamusię pocałował.

Opowiem ci bajkę

Opowiem ci bajkę,
jak kot palił fajkę
a kocica papierosa,
upaliła kawał nosa.
Prędko, prędko do doktora,
bo kocica bardzo chora.
Idzie doktor z nożycami,
a kocica – hyc z pazurami!

Wpadła gruszka do fartuszka

Wpadła gruszka do fartuszka,
a za gruszką dwa jabłuszka,
a śliweczka wpaść nie chciała,
bo śliweczka nie dojrzała!

Wyszła kura na podwórze

Wyszła kura na podwórze,
spodobało się tam kurze.
Na podwórzu dużo kurzu,
piórko, trawka i sadzawka...
Kamyk, kwiatek i dżdżownica
– jaka piękna okolica…
Drapu drap jedną z łap,
jest robaczek, to go cap!
Drapu drapu łapką w kurzu,
jak tu pięknie na podwórzu!

Wiersze o zwierzętach

Ptasie zagadki dla najmłodszych

...

Nie śpiewa, nie kracze, lecz pohukuje,
sypia w dzień, a w nocy poluje.
Czy któreś z dzieci mi powie,
o jakim ptaku myślę? O...

...

Wesoła czarno-biała śmieszka
nad okienkiem w gniazdku mieszka,
gdy lata nisko, to będzie deszcz.
O jakim ptaku mówię, czy wiesz?

Katarzyna Campbell

...

Gniazdo na dachu buduje,
na żabki z pasją poluje.
Może ktoś zna tego pana?
Tak, to chodzi o…

...

Znana powszechnie z plotek,
mała złodziejka błyskotek,
klejnotu nie spuszcza z oka…
Czy wiesz, co to za ptak? ……

...

Wysoko w niebo wzlatuje,
o wiośnie trele wyśpiewuje,
w gardziołku chyba ma dzwonek…
Wiesz, co to za ptak? ……

Brakujące słowa: sowie, jaskółka,
bociana, sroka, skowronek.

Zagadki o zwierzętach

...

Mówią o niej, że się nie myje,
choć nie jest kretem, to ryje,
z korytka jedzonko wcina...
Co to za zwierzę? ......

...

Zimą je sianko pachnące,
gdy nie ma mrozów, bryka po łące.
Podasz mu cukier, liże twą dłoń...
Powiedzcie, co to za zwierzę? ......

...

Podobny do taty i mamy,
zabawnie strzyże uszami,
wesoło rży, żwawo skacze...
Czy wiecie, co to za malec? ......

Katarzyna Campbell

34

. . .

Mówią o nim: „przyjaciel człowieka",
na obcych zazwyczaj szczeka.
Co to za zwierzę, czy wiesz?
Tak, oczywiście, to…

. . .

Łazi własnymi drogami,
ugania się za myszkami,
lubi wspinać się na płotek.
– Kto to jest? Tak, to…

. . .

Hodowana przez górali,
smaczną trawkę je na hali
z jej wełenki jest czapeczka.
Czy już wiesz? To…

35

. . .

W oborze na sianku sypia,
ma rogi, ogon i kopyta,
daje mleczko bardzo zdrowe.
Wszyscy znają dobrze…

. . .

Nie śpiewa, tylko gdacze,
jej dzieckiem jest kurczaczek,
nie ma sierści, tylko pióra.
Kto to jest? To jest…

Brakujące słowa:
świnia,
koń,
źrebaczek,
pies,
kotek,
owieczka,
krowę,
kura.

BEEEE!!!
BEEEE!!!
BEEEE!!!

Literkowe safari

A

Aligator w rzece żyje
i codziennie ząbki myje.
Za każdy ząbek lśniący i czysty
zbiera pochwały swojego dentysty.

B

Baran beczy przez dnie całe,
chociaż zwierzę to niemałe.
Przez to ma opinię płaczka,
bardzo szkoda mi biedaczka.

C

Czapla lubi brodzić w wodzie,
swe odbicie widzi co dzień.
„Stara!" – bociek ją przezywa.
Ona tylko z nazwy siwa.

Dzika można spotkać w lesie,
ma dwie szable, jak wieść niesie.
Po co dzikowi szabelki?
By mógł kroić kartofelki!

Poznajcie emu, szybkobiegacza,
Ten ptak ma skrzydła, ale nie lata.
Chyba się fruwania boi,
dlatego biega albo stoi.

Fokę znamy – to świetna pływaczka,
szybka, zwinna, nurkuje jak kaczka.
Lubi piłkę, szczególnie plażową.
Jak w nią gra? Odbija ją głową!

G

Gęś się bardzo szarogęsi
i wychwala język gęsi!
Niech gęgają sobie gąski
– my wolimy język polski.

H

Śmiała się hiena z hipopotama,
„Pan się nie myje, no proszę pana!
Pan ubłocony nawet w niedzielę".
„Bo ja uwielbiam błotne kąpiele!"

I

„Ibis to dziobal!" – wołają wrony,
ptak mógłby poczuć się urażony.
On jednak wcale się nie przejmuje
i wielkim dziobem grzebie w mule.

J

„Po co kolce jeżozwierzowi?"
– tygrys się od rana głowi.
„Gdyby miał zwykłe futerko,
schrupałbym łobuza prędko".

K

Krowa daje mleko – jada tylko trawkę,
a gdyby tak czasem dać jej truskawkę?
Może by powstał gatunek nowy:
– krowa, która daje koktajl truskawkowy?

L

Leniwiec nie lubi chodzić po ziemi.
Może dlatego, że się leni?
A może inna tego przyczyna –
dawno pazurów nie obcinał?!

Ł

A po co jakieś łopaty łosiowi?
– pewnie niejedno dziecko się głowi.
Czy do kopania dołów ich używa?
Nie! Tak się łosia poroże nazywa.

M

Mówią o małpie, że małpuje,
lecz ona się tym nie przejmuje,
nadal powtarza to, co zobaczy.
„Ja się lubię uczyć" – tłumaczy.

N

Misiowi pszczoły zalazły za skórę,
bo zdemolował im wszystkie ule.
No cóż, niedźwiadek za miodem przepada…
Teraz biedaczek ledwo co siada!

O

Pewien rudy młody kotek
bardzo chciał być ocelotem.
Namalował sobie piegi
i trenował co dzień biegi.

P

Źle wychowana papuga ara
bezustannie swe wdzięki wychwala:
„Jestem piękna i kolorowa"
– nie dopuszcza nikogo do słowa.

R

Ropucha o imieniu Aga
to taka olbrzymia żaba.
Język ma nie od parady,
sprawnie chwyta nim owady.

Sz

Szakal wył dziś nockę całą,
jak na szakala przystało,
lwica żal do niego miała,
w nocy w ogóle nie spała.

T

Choć z niego zwierzątko nieduże,
lepiej nie zadzierać z tchórzem.
Gdy się tylko zdenerwuje,
brzydkim zapachem częstuje.

U

Uchatka już z dziada pradziada
za mroźnym klimatem przepada.
Sypia w śniegu, ślizga się po lodzie,
uwielbia kąpiel w lodowatej wodzie.

W

Wielbłądowi niestraszne upały,
w garbach ma zapas wody niemały.
Może cię śmieszy swoim wyglądem,
lecz na pustyni – chciałbyś być wielbłądem!

Z

Cóż wam mogę powiedzieć o zaskrońcu?
Godzinami wygrzewa się na słońcu,
trochę żmiję przypomina,
ale niegroźna to gadzina.

Ż

Żyrafa w Afryce żyje.
Jest bardzo wysoka, ma długą szyję.
Dzięki tej szyi, oczywiście,
z wierzchołków drzew zrywa liście.

Katarzyna Campbell

44

Uczymy się liczyć

1

Kwoczka w kurniku radośnie gdacze,
– wykluł się właśnie jeden kurczaczek.
Żółciutkie piórka maluszek ma,
po chwili kurczaczków było już dwa.

2

Dwa małe kurczątka trenują „pi!",
ni stąd, ni zowąd kurczątek jest trzy.
Przyszły zobaczyć ciekawskie kaczki
trzy malutkie żółciutkie kurczaczki.

3

4

W gniazdku słyszymy znów jakieś szmery.
Czy uwierzycie? Kurczątek jest cztery.
Cztery kurczaczki biegać miały chęć,
lecz nim zaczęły – kurcząt było pięć.

5

45

6

Pięć małych kurcząt schowało się gdzieś,
a kiedy już wyszły, było ich sześć.
Z jajeczka wykluł się jeszcze jeden

7

i w sumie maluszków jest już siedem.

8

Siedem kurczaczków siadło przy kłosie,
jeden się przysiadł i było osiem.
Osiem kurcząt... Już sama nie wiem?
Chodź, policzymy. Jeden, dwa... dziewięć.

9

Dziewięć kurczaczków skorupkę niesie,
ostatni się wykluł – jest kurcząt dziesięć!
Dziesięć kurczątek skrzydełka ćwiczy,
czy do dziesięciu umiesz policzyć?

10

Katarzyna Campbell

Listonosz żółw

Bocian miał spore zmartwienie,
dopadło go przeziębienie
i w nocy nie zmrużył oka
– gorączka bardzo wysoka.

Kaszel i katar go męczył,
no i zmartwienie – kto wszystko doręczy?
„Drogi boćku, nie ma sprawy,
odpoczywaj bez obawy.

ja to wszystko w mig doręczę" –
słowem swym żółw za to ręczy.
„Nie martw się już, boćku, proszę!"
– został żółwik listonoszem.

Kura kopę jaj wysłała,
by je kwoka wysiedziała.
Żółw szedł z paczką wiele dni,
Aż tu z pudła słychać „pi!".

Nie ma śladu już po jajach,
za to kurcząt cała zgraja,
uchyliła wieko paczki,
no i nura dała w krzaczki.

Mysz zrobiła torcik piękny,
był prezentem dla Amelki.
przełożyła go śmietaną.
Żółw miał tort dostarczyć rano,

lecz choć z niego nie był leń,
spóźnił się z tym cały dzień.
Zaproszenia, kartki, listy,
z opóźnieniem również przyszły.

Napływały zażalenia,
żółwik padał ze zmęczenia,
choć się starał nieprzeciętnie,
wszystko robił w żółwim tempie.

Tak praca dla boćka prosta
żółwika całkiem przerosła.
Przyszedł żółwik do bociana,
mówi: „Znów potrzebna zmiana!

Coś ty, bracie, robił, w locie,
to ja w ciężkim czoła pocie!
Wracaj, bocianie, na pocztę,
Ja sobie z chęcią odpocznę".

Katarzyna Campbell

O psotnym chomiczku

Zosia chciała mieć chomiczka,
– to istotka jest prześliczna,
malusieńki jak okruszek,
delikatny niczym puszek.

Poprosiła babcię, dziadka,
no i proszę, jest i klatka,
a w klateczce, uwierzycie?
Wymarzony jest chomiczek.

Zosia była przeszczęśliwa,
gdy z Ogryzkiem się bawiła.
Wyciągała go z klateczki,
oglądała z nim bajeczki.

Jakaś wrzawa na podwórku?
Położyła go na biurku,
przez okienko wyglądała,
o chomiku zapomniała…

Uciekł gryzoń małej Zosi.
„Wróć, Ogryzku" – Zosia prosi.
A on w nogi, mknie jak burza!
Nie chce słuchać ten łobuziak.

Nie ma śladu po chomiku,
skrył się spryciarz w tapczaniku.
Na wołanie Zosi – głuchy.
Już się dobrał do poduchy.

Wygryzł dziurkę urwis mały,
wnet się piórka posypały.
Nie oszczędził też kołderki
gryzoń mały – szkodnik wielki!

Nie dodzwonisz się do domu,
– przegryzł kabel telefonu.
Poobcinał liście kwiatkom,
sukieneczki zniszczył lalkom.

I odwiedził biblioteczkę,
czy przeczytać chciał książeczkę?
Nie! Bo pogryzł w książce strony,
jest w niszczeniu niestrudzony.

Zosia szuka, rzewnie płacze.
Gdzie się podział ten biedaczek?
Wkrótce już rodzina cała
znaleźć zbiega pomagała.

Odsuwali więc tapczany,
szafki, biurka, fotel mamy.
Nieuwagi – krótka chwilka,
poszukiwań – godzin kilka.

Aż znaleźli przy grzejniku.
„Marsz do klatki, rozbójniku!
Oj, niedobra z ciebie myszka!"
– krzyczy Zosia na Ogryzka.

Smutny zrobił się Ogryzek.
„Ja po prostu wszystko gryzę,
Niesprawiedliwa ta bura
– taka jest moja natura".

A mama radzi: „Córeczko,
nie wiń o wszystko chomiczka,
opiekun zwierzątka psotnika
powinien klatkę zamykać!"

Katarzyna Campbell

Na grzyby!

Gdy jesienią słońce świeci,
To do lasu biegną dzieci.
Kiedy deszczyk wcześniej pada,
zbieraj grzyby, dobra rada.
Musisz dobrze je wybierać,
By trujących nie nazbierać!
A najlepiej sprawdź w atlasie,
Wtedy większą pewność ma się.
Kurki, rydze i maślaki,
wybór grzybów wieloraki.
A pod kani kapeluszem,
Ze zdumieniem przyznać muszę
Stoi czasem mała budka –

Domek pana krasnoludka!
W środku chowa się biedaczek,
Bardzo smutny, głośno płacze.
Gdy zapytasz go: „Dlaczego
Łzy lejesz, miły kolego?",
to zapewne ci odpowie:
„Przez ten brud mam słabe zdrowie!
Całe lasy toną w śmieciach!"
„A ratunek?" „Tylko w dzieciach!
Może sprzątną śmieci z lasu
I zawstydzą tych brudasów!"

Jerzy Pietrzykowski

55

Wiersze dla starszych dzieci

Katechizm polskiego dziecka

– Kto ty jesteś?

    – Polak mały.

– Jaki znak twój?

    – Orzeł biały.

– Gdzie ty mieszkasz?

    – Między swemi.

– W jakim kraju?

    – W polskiej ziemi.

– Czem ta ziemia?

    – Mą ojczyzną.

– Czem zdobyta?

    – Krwią i blizną.

– Czy ją kochasz?

    – Kocham szczerze.

– A w co wierzysz?

    – W Polskę wierzę.

– Coś ty dla niej?

    – Wdzięczne dziecię.

– Coś jej winien?

    – Oddać życie.

Władysław Bełza

Płynie Wisła, płynie

Płynie Wisła, płynie
Po polskiej krainie, po polskiej krainie,
Zobaczyła Kraków,
Pewnie go nie minie.
Zobaczyła Kraków,
Pewnie go nie minie.

Zobaczyła Kraków,
Wnet go pokochała, wnet go pokochała,
I w dowód miłości
Wstęgą opasała.
I w dowód miłości
Wstęgą opasała.

Chociaż się schowała
W Niepołomskie lasy,
w Niepołomskie lasy
I do morza wpada,
Płynie jak przed czasy.
I do morza wpada,
Płynie jak przed czasy.

Płynie Wisła, płynie
Po polskiej krainie,
po polskiej krainie
A dopóki płynie,
Polska nie zaginie!
A dopóki płynie,
Polska nie zaginie!

Edmund Wasilewski

Co dzieci widziały w drodze

Jadą, jadą dzieci drogą…
Siostrzyczka i brat,
I nadziwić się nie mogą,
Jaki piękny świat
Tu się kryje biała chata
Pod słomiany dach,
Przy niej wierzba rosochata,
A w konopiach… strach.
Od łąk mokrych bocian leci,
Żabkę w dziobie ma…
– Bociuś! Bociuś! – krzyczą dzieci,
A on: Kla!… Kla!… Kla!…
Tam zagania owce siwe
Brysio, kundys zły…
Konik wstrząsa bujną grzywę
I do stajni rży…

Idą żeńcy, niosą kosy,
Fujareczka gra,
A pastuszek mały, bosy,
Chudą krówkę gna.
Młyn na rzece huczy z dala,
Białe ciągną mgły,
A tam z kuźni od kowala
Lecą złote skry.
W polu, w sadzie brzmi piosenka
Wskróś porannych ros,
Siwy dziad pod krzyżem klęka,
Pacierz mówi w głos.
Jadą wioską, jadą drogą…
Siostrzyczka i brat –
I nadziwić się nie mogą,
Jaki piękny świat!

Maria Konopnicka

Niezapominajki

Niezapominajki
To są kwiatki z bajki!
Rosną nad potoczkiem,
Patrzą żabim oczkiem.

Gdy się jedzie łódką,
Śmieją się cichutko
I szepcą mi skromnie:
„Nie zapomnij o mnie!"

Bronisława Ostrowska

Jabłonka

Jabłoneczka biała
Kwieciem się odziała.
Obiecuje nam jabłuszka,
Jak je będzie miała.

Mój wietrzyku miły,
Nie wiej z całej siły.
Nie trącaj tego kwiecia,
Żeby jabłka były.

Maria Konopnicka

Jesienią

Jesienią, jesienią
Sady się rumienią,
Czerwone jabłuszka
Pomiędzy zielenią.

Czerwone jabłuszka,
Złociste gruszeczki
Świecą się jak gwiazdy
Pomiędzy listeczki.

– Pójdę ja się, pójdę
Pokłonić jabłoni,
Może mi jabłuszko
W czapeczkę uroni!

– Pójdę ja do gruszy,
Nastawię fartuszka,
Może w niego spadnie
Jaka śliczna gruszka!

Jesienią, jesienią
Sady się rumienią,
Czerwone jabłuszka
Pomiędzy zielenią.

Maria Konopnicka

Zła zima

Hu! Hu! Ha! Nasza zima zła!

Szczypie w nosy, szczypie w uszy,

Mroźnym śniegiem w oczy prószy,

Wichrem w polu gna!

Nasza zima zła!

Hu! Hu! Ha! Nasza zima zła!

Płachta na niej długa, biała,

W ręku gałąź oszroniała,

A na plecach drwa…

Nasza zima zła!

Hu! Hu! Ha! Nasza zima zła!

A my jej się nie boimy,

Dalej śnieżkiem w plecy zimy,

Niech pamiątkę ma!

Nasza zima zła!

Maria Konopnicka

Sanna

Jasne słonko, mroźny dzień,

A saneczki deń, deń, deń.

A koniki po śniegu

Zagrzały się od biegu.

Jasne słonko, mroźny dzień,

A saneczki deń, deń, deń.

Maria Konopnicka

67

Stuk, puk w okieneczko

Stuk, puk w okieneczko.
Otwórz, otwórz, panieneczko,
Bo na dworze sroga zima,
nigdzie i ziarneczka nie ma.
I ptaszynie otworzyli.
Nakarmili, napoili.
A ptaszyna wdzięczna za to
śpiewała im całe lato.

Stanisław Jachowicz

Dzieci i żaby

Koło jeziora
Z wieczora,
Chłopcy wkoło biegali
I na żaby czuwali.
Skoro która wypływała,
Kamieniem w łeb dostawała.
Jedna z nich, śmielszej natury
Wystawiwszy łeb do góry,
Rzekła: „Chłopcy, przestańcie,
bo się źle bawicie!
Dla was to jest igraszką, nam
idzie o życie".

Ignacy Krasicki

Chory kotek

Pan kotek był chory
i leżał w łóżeczku.
I przyszedł kot doktor.
– Jak się masz, koteczku?
– Źle bardzo – i łapkę
wyciągnął do niego.
Wziął za puls pan doktor
poważnie chorego
I dziwy mu prawi:
– Zanadto się jadło,
co gorsza, nie myszki,
lecz szynki i sadło;
Źle bardzo! gorączka!
Źle bardzo, koteczku!
Oj długo ty, długo
poleżysz w łóżeczku
I nic jeść nie będziesz,
kleiczek i basta.
Broń Boże kiełbaski,
słoninki lub ciasta!

– A myszki nie można? –
zapyta koteczek –
lub ptaszka małego
choć parę udeczek?
– Broń Boże! Pijawki
i dieta ścisła!
Od tego pomyślność
w leczeniu zawisła.
I leżał koteczek;
kiełbaski i kiszki
nietknięte; z daleka
pachniały mu myszki.
Patrzcie, jak złe łakomstwo!
Kotek przebrał miarę,
musiał więc nieboraczek
srogą ponieść karę!
Tak się i z wami,
dziateczki, stać może:
od łakomstwa
strzeż was Boże!

Stanisław Jachowicz

Andzia

„Nie rusz, Andziu, tego kwiatka –
Róża kole" – rzekła matka.
Andzia mamy nie słuchała,
Ukłuła się i płakała.

Stanisław Jachowicz

Zaradź złemu zawczasu

„Zaszyj dziurkę, póki mała" –
Mama Zosię przestrzegała.
Ale Zosia, niezbyt skora,
Odwlekała do wieczora.

Z dziurki dziura się zrobiła.
A choć Zosia i zaszyła,
Popsuła się suknia cała,
Źle, że matki nie słuchała.

Stanisław Jachowicz

Zgodny podział

Dwie nierówne cząsteczki jabłuszek leżały.
Dzieci wolny wybór miały.
Jaś wziął jedną, Staś drugą i sprzeczki nie było.
Jakże na zgodne dzieci starszym patrzeć miło.

Stanisław Jachowicz

Natalcia i lalka

Bawiła się lalką Natalcia maleńka
I biednej laleczce zwichnęła się ręka.
„Ach, mamo! – zawołała – laleczka ma chora,
Niech mama kochana pośle po doktora".
A na to dziecinie odpowiada mama:
„Nie trzeba doktora, poradzę ja sama;
Ale się na przyszłość obchodź z nią z ostrożna,
Bo czynić przykrości i lalce nie można".

Stanisław Jachowicz

Pranie

Pucu! Pucu! Chlastu! Chlastu!
Nie mam rączek jedenastu,
Tylko dwie mam rączki małe,
Lecz do prania doskonałe.

Umiem w cebrzyk wody nalać,
Umiem wyprać... No... i zwalać,
Z mydła zrobię tyle piany,
Co nasz kucharz ze śmietany.

I wypłuczę, i wykręcę,
Choć mnie dobrze bolą ręce.
Umiem także i krochmalić,
Tylko nie chcę się już chwalić!
A u pani? Jakże dziatki?
Czy też brudzą swe manatki?

– U mnie? Ach! To jeszcze gorzej:
Zaraz zdejmuj, co się włoży!
Ja i praczki już nie biorę,
Tylko co dzień sama piorę!

Tak to praca zawsze nowa,
Gdy kto lalek się dochowa!

Maria Konopnicka

Stefek Burczymucha

O większego trudno zucha,
Jak był Stefek Burczymucha,
– Ja nikogo się nie boję!
Choćby niedźwiedź... to dostoję!
Wilki?... Ja ich całą zgraję
Pozabijam i pokraję!
Te hieny, te lamparty
To są dla mnie czyste żarty!
A pantery i tygrysy
Na sztyk wezmę u swej spisy!
Lew!... Cóż lew jest?! – Kociak duży!
Naczytałem się podróży!
I znam tego jegomości,
Co zły tylko, kiedy pości.

Szakal, wilk?... Straszna nowina!
To jest tylko większa psina!...
(Brysia mijam zaś z daleka,
Bo nie lubię, gdy kto szczeka!)
Komu zechcę, to dam radę!
Zaraz za ocean jadę
I nie będę Stefkiem chyba,
Jak nie chwycę wieloryba!
I tak przez dzień boży cały
Zuch nasz trąbi swe pochwały,
Aż raz usnął gdzieś na sianie...
Wtem się budzi niespodzianie.
Patrzy, aż tu jakieś zwierzę
Do śniadania mu się bierze.

7

Jak nie zerwie się na nogi,
Jak nie wrzaśnie z wielkiej trwogi!
Pędzi jakby chart ze smyczy...
– Tygrys, tato! Tygrys! – krzyczy.
– Tygrys?... – ojciec się zapyta.
– Ach, lew może!... Miał kopyta
Straszne! Trzy czy cztery nogi,
Paszczę taką! Przy tym rogi...
– Gdzie to było?
– Tam na sianie.
– Właśnie porwał mi śniadanie...
Idzie ojciec, służba cała,
Patrzą... a tu myszka mała
Polna myszka siedzi sobie
I ząbkami serek skrobie!...

Maria Konopnicka

Rybka mała i szczupak

Widząc w wodzie robaka rybka jedna mała,
Że go połknąć nie mogła, wielce żałowała.
Nadszedł szczupak, robak się przed nim nie osiedział,
Połknął go, a z nim haczyk, o którym nie wiedział.
Gdy rybak na brzeg ciągnął zdobycz okazałą,
Rzekła rybka: „Dobrze to czasem być i małą"

Ignacy Krasicki

Obchodź się łagodnie ze zwierzętami

Zwierzątkom dokuczać to bardzo zła wada.
I piesek ma czucie, choć o tym nie gada.
Kto z pieskiem się drażni, ciągnie go za uszko,
To bardzo niedobre musi mieć serduszko.

Stanisław Jachowicz

Paweł i Gaweł

Paweł i Gaweł w jednym stali domu,

Paweł na górze, a Gaweł na dole.

Paweł, spokojny, nie wadził nikomu,

Gaweł najdziksze wymyślał swawole.

Ciągle polował po swoim pokoju:

To pies, to zając – między stoły, stołki

gonił, uciekał, wywracał koziołki,

Strzelał i trąbił, i krzyczał do znoju.

Znosił to Paweł, nareszcie nie może;

Schodzi do Gawła i prosi w pokorze:

– Zmiłuj się waćpan, poluj ciszej nieco,

Bo mi na górze szyby z okien lecą.

A na to Gaweł: – Wolnoć, Tomku,

W swoim domku.

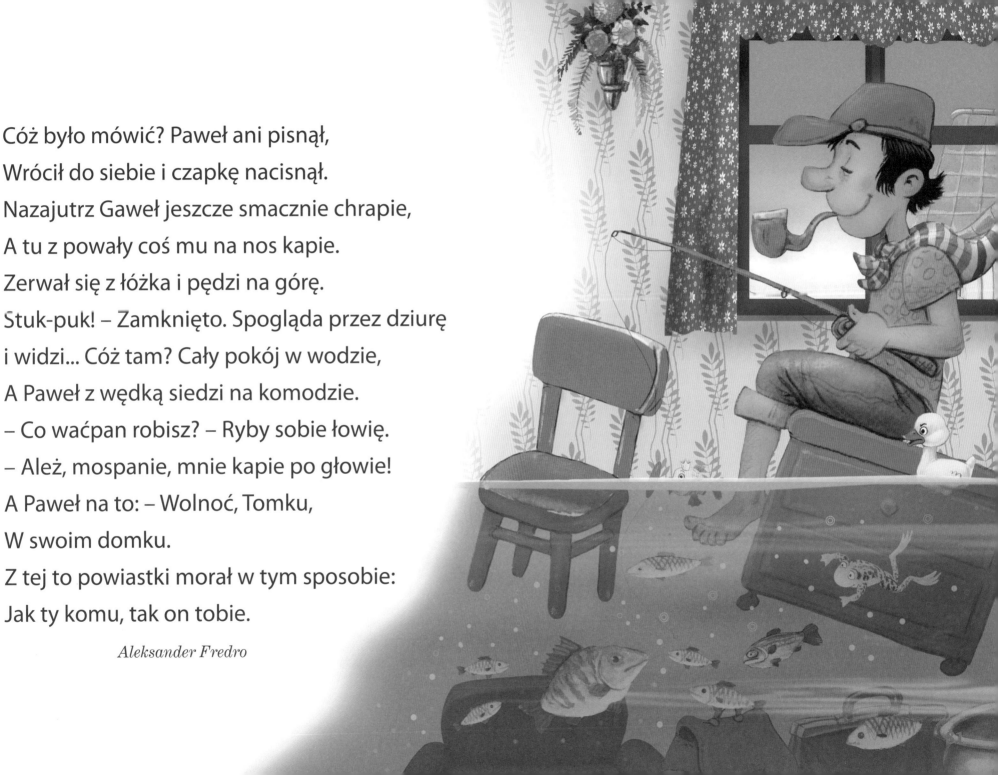

Cóż było mówić? Paweł ani pisnął,

Wrócił do siebie i czapkę nacisnął.

Nazajutrz Gaweł jeszcze smacznie chrapie,

A tu z powały coś mu na nos kapie.

Zerwał się z łóżka i pędzi na górę.

Stuk-puk! – Zamknięto. Spogląda przez dziurę

i widzi... Cóż tam? Cały pokój w wodzie,

A Paweł z wędką siedzi na komodzie.

– Co waćpan robisz? – Ryby sobie łowię.

– Ależ, mospanie, mnie kapie po głowie!

A Paweł na to: – Wolnoć, Tomku,

W swoim domku.

Z tej to powiastki morał w tym sposobie:

Jak ty komu, tak on tobie.

Aleksander Fredro

Komedia przy myciu

Filuś:

Ach, nieszczęsny ja kocina!
Już się mycie rozpoczyna...
Jedna panna gąbkę trzyma,
W wodzie macza i wyżyma,
Druga mnie pod boczki bierze...
Nieszczęśliwe ze mnie zwierzę!...

Żuczek:

Aj, aj, aj, aj, gwałtu, rety!
Tom się dostał w piękne ręce!
Od tej rannej toalety
Pewno żyw się nie wykręcę...
Jedna trzyma, druga myje...
Aj, aj, aj, aj!... ledwo żyję!

Zosia:

A pfe, kotku! Pfe, brudasku!
Masz futerko pełne piasku,
Umyć cię też muszę z brudu...
Tyle pracy, tyle trudu,
A ty wrzeszczysz, kotku bury,
Jakby cię kto darł ze skóry!

Julka:

I ty, Żuczku, swawolniku,
Nie piszcz, nie rób tyle krzyku!
Dalej, prędko, łeb i uszy...
Ręcznik potem cię wysuszy.
A to boskie z nim skaranie!
Nie wrzeszczże tak, mości panie!

mama:

Dobrze, dobrze, moje dziatki!
Kto się myje, ten jest gładki.
Dużo mydła, dużo wody
Nie przynosi nigdy szkody.
Ale która to z was sama
Płacze, gdy ją myje mama?...

Maria Konopnicka

Małpa w kąpieli

Rada małpa, że się śmieli,
Kiedy mogła udać człeka,
Widząc panią raz w kąpieli,
Wlazła pod stół – cicho czeka.
Pani wyszła, drzwi zamknęła;
Małpa figlarz – nuż do dzieła!
Wziąwszy pański czepek ranny,
Prześcieradło
I zwierciadło –
Szust! Do wanny.
Dalej kurki kręcić żwawo!
W lewo, w prawo,
Z dołu, z góry,
Aż się ukrop puścił z rury.
Ciepło – miło – niebo – raj!
Małpa myśli: „W to mi graj!"
Hajże! – kozły, nurki, zwroty,
Figle, psoty,
Aż się wody pod nią mącą!

Ale ciepła coś za wiele...
Trochę nadto... Ba, gorąco!...
Fraszka! – Małpa nie cielę,
Sobie poradzi:
Skąd ukrop ciecze,
Tam palec wsadzi.
„Aj! Gwałtu! Piecze!"
Nie ma co czekać,
Trzeba uciekać!
Małpa w nogi
Ukrop za nią – tuż, tuż w tropy,
Aż po progi.
Tu nie żarty – parzy stopy...
Dalej w okno... Brzęk! Uciekła!
Że tylko palce popiekła,
Nader szczęśliwa. –
Tak to zwykle w życiu bywa.

Aleksander Fredro

Czapla, ryby i rak

Czapla stara, jak to bywa,
Trochę ślepa, trochę krzywa,
Gdy już ryb łowić nie mogła,
Na taki się koncept wzmogła.
Rzekła rybom: „Wy nie wiecie,
A tu o was idzie przecie".
Więc wiedzieć chciały,
Czego się obawiać miały.
„Wczora
Z wieczora
Wysłuchałam, jak rybacy
Rozmawiali: wiele pracy
Łowić wędką lub więcierzem;
Spuśćmy staw, wszystkie zabierzem,
Nie będą mieć otuchy,
Skoro staw będzie suchy."
Ryby w płacz, a czapla na to:
„Boleję nad waszą stratą,

Lecz można temu zaradzić,
I gdzie indziej was osadzić;
Jest tu drugi staw blisko,
Tam obierzcie siedlisko,
Chociaż pierwszy wysuszą,
Z drugiego was nie ruszą".
„Więc nas przenieś!" – rzekły ryby:
Wzdrygnęła się czapla niby;
Dała się na koniec użyć,
Zaczęła służyć.
Brała jedną po drugiej w pysk,
niby nieść mając,
I tak pomału zjadając.
Zachciało się na koniec skosztować i raki.
Jeden z nich widząc, iż go czapla niesie w krzaki,
Postrzegł zdradę, o zemstę się zaraz pokusił.
Tak dobrze za kark ujął, iż czaplę udusił.
Padła nieżywa:
Tak zdrajcom bywa.

Ignacy Krasicki

Osiołkowi w żłoby dano

Osiołkowi w żłoby dano,
W jeden owies, w drugi siano.
Uchem strzyże, głową kręci
I to pachnie, i to nęci.
Od którego teraz zacznie,
Aby sobie podjeść smacznie?
Trudny wybór, trudna zgoda
Chwyci siano, owsa szkoda,
Chwyci owies, żal mu siana.
I tak stoi aż do rana,
A od rana do wieczora;
Aż nareszcie przyszła pora,
Że oślina pośród jadła
Z głodu padła.

Aleksander Fredro

Krokodyl

„Skąd ty jesteś, krokodylu?"
„Ja? Znad Nilu.
Wypuść mnie na kilka chwil,
To zawiozę Cię nad Nil".

Jan Brzechwa

Kangur

„Jakie pan ma stopy duże,
Panie kangurze".
„Wiadomo, dlatego kangury
W skarpetkach robią dziury".

Jan Brzechwa

PRANIE

Entliczek-pentliczek

Entliczek-pentliczek, czerwony stoliczek,
A na tym stoliczku pleciony koszyczek,

W koszyczku jabłuszko, w jabłuszku robaczek,
A na tym robaczku zielony kubraczek.

Powiada robaczek: „I dziadek, i babka,
I ojciec, i matka jadali wciąż jabłka,

A ja już nie mogę! Już dosyć! Już basta!
Mam chęć na befsztyczek!" I poszedł do miasta.

Szedł tydzień, a jednak nie zmienił zamiaru,
Gdy znalazł się w mieście, poleciał do baru.

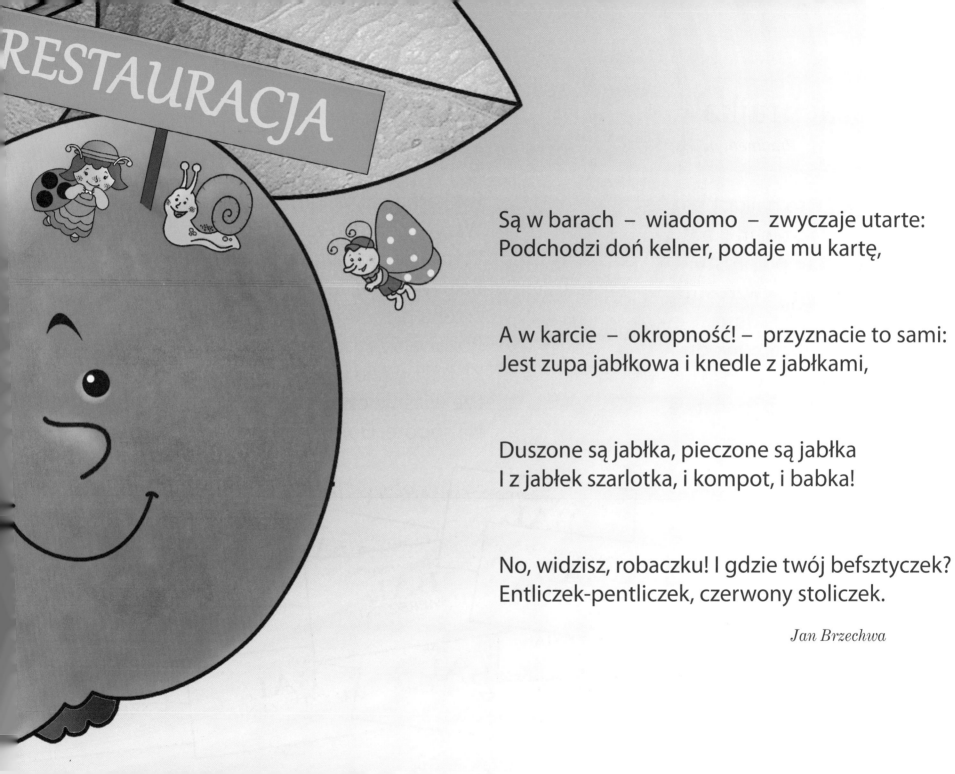

Są w barach – wiadomo – zwyczaje utarte:
Podchodzi doń kelner, podaje mu kartę,

A w karcie – okropność! – przyznacie to sami:
Jest zupa jabłkowa i knedle z jabłkami,

Duszone są jabłka, pieczone są jabłka
I z jabłek szarlotka, i kompot, i babka!

No, widzisz, robaczku! I gdzie twój befsztyczek?
Entliczek-pentliczek, czerwony stoliczek.

Jan Brzechwa

Pchła Szachrajka

(fragmenty)

Chcecie bajki? Oto bajka:
Była sobie Pchła Szachrajka.
Niesłychana rzecz po prostu,
By ktoś tak marnego wzrostu
I nędznego pchlego rodu
Mógł wyczyniać bez powodu
Takie psoty i gałgaństwa,
Jak pchła owa, proszę państwa.
(…)

Był karnawał. W karnawale
Wszyscy bardzo lubią bale.
Pchła więc myśli: „Doskonale!
Bal wyprawię, lecz nie u mnie.
Trzeba przecież żyć rozumnie."
Rozpisała zaproszenia,
Że bal będzie u Szerszenia
I że właśnie on zaprasza
Na sobotę. Dobra nasza!

ZAPROSZENIE NA
BAL
U SZERSZENIA
SOBOTA 17.00

Szerszeń, nic nie wiedząc o tym,
Kładł się właśnie spać w sobotę,
A tu nagle mu przed ganek
Wjeżdża szereg aut i sanek.
Szerszeń pełen jest zdziwienla,
Patrzy: Co to? Zaproszenia?
„Podpis mój jest sfałszowany,
Ktoś zupełnie mi nie znany
Sobie bal wyprawił u mnie!"
A tu goście jadą tłumnie,
Panie w pięknych toaletach,
W autach, sankach i karetach.
Jak karnawał, to karnawał!
„Ktoś mi zrobił brzydki kawał!" –
Myśli Szerszeń, ale gości
Wita grzecznie – z konieczności.
Pchła, wytworna w każdym calu,
Chętnie wodzi rej na balu.
Ma na sobie suknię nową,

Plisowaną, kolorową,
Ma jedwabne pantofelki,
W lewej ręce wachlarz wielki,
I unosząc się na palcach
Wiedeńskiego tańczy walca.

Każdy pan jej czar ocenia,
Każdy pyta się Szerszenia:
„Kto ta dama, ta nieznana,
Kto ta piękność, proszę pana?"
Szerszeń mówić nie chce wcale,
Odpowiada coś niedbale,
Zielenieje wprost ze złości:
Nie ma czym nakarmić gości.
„Nic już dzisiaj nie dostanę.
Dam im placki kartoflane!"
Pchła tymczasem od kwadransa
Tańczy z wdziękiem kontredansa,
Główkę schyla i co chwila
Do tancerza się przymila,
I taneczne stawia kroczki
Leciusieńkie jak obłoczki.

Muzykanci grać przestali,
Szerszeń kręci się po sali,
Chciałby wykryć winowajcę
I ukradkiem Pchle Szachrajce
Jednym okiem się przygląda.
Towarzystwo walca żąda!
Pchła już tańczyć nie ma chęci
I odmownie główką kręci.
„Lepiej będzie zejść mu z oczu!"
Chwilę stała na uboczu
I jak stała, tak wypadła,
Do swej bryczki szybko wsiadła,
A nim jeszcze kwadrans minął,
Już leżała pod pierzyną.
(...)

Jan Brzechwa

Małpa

Małpy skaczą niedościgle,
małpy robią małpie figle
Niech pan spojrzy na pawiana:
Co za małpa proszę pana.

Jan Brzechwa

Dzik

Dzik jest dziki, dzik jest zły,
Dzik ma bardzo ostre kły,
Kto spotyka w lesie dzika,
Ten na drzewo szybko zmyka.

Jan Brzechwa

Piłka

Piłka tu! Piłka tam!
Piłki nikt nie rzuca sam.
Chwytaj ty, potem ja!
Renia w piłkę z cieniem gra.

Ewa Szelburg-Zarembina

Idzie niebo ciemną nocą

Idzie niebo ciemną nocą,
Ma w fartuszku pełno gwiazd.
Gwiazdki świecą i migocą,
aż wyjrzały ptaszki z gniazd.
Jak wyjrzały – zobaczyły i nie chciały dalej spać,
kaprysiły, grymasiły, żeby im po jednej dać!
Gwiazdki nie są do zabawy,
tożby nocka była zła!
Ej! Usłyszy kot kulawy!
Cicho bądźcie!... A, a, a...

Ewa Szelburg-Zarembina

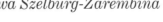

Okulary

Biega, krzyczy pan Hilary:
„Gdzie są moje okulary?"

Szuka w spodniach i w surducie,
W prawym bucie, w lewym bucie.

Wszystko w szafach poprzewracał,
Maca szlafrok, palto maca.

„Skandal! – krzyczy – nie do wiary!
Ktoś mi ukradł okulary!"

Pod kanapą, na kanapie,
Wszędzie szuka, parska, sapie!
Szuka w piecu i w kominie,
W mysiej dziurze i w pianinie.

Już podłogę chce odrywać,
Już policję zaczął wzywać.

Nagle zerknął do lusterka...
Nie chce wierzyć... Znowu zerka.

Znalazł! Są! Okazało się,
Że je ma na własnym nosie.

Julian Tuwim

Dziwny pies

Jeden, dwa,
jeden, dwa,
pewna pani
miała psa.

Trzy i cztery,
trzy i cztery,
pies ten dziwne
miał maniery.

Pięć i sześć,
pięć i sześć,
wcale lodów
nie chciał jeść.

Dziewięć, dziesięć,
dziewięć, dziesięć,
kto z nas kości
mu przyniesie?

Siedem, osiem,
siedem, osiem,
wciąż o kości
tylko prosił.

Może ja?
Może ty?
Licz od nowa –
raz, dwa, trzy...

Danuta Wawiłow

Kałużyści

Już od rana na podwórzu,
wśród patyków i wśród liści,
przycupnęli nad kałużą
pracowici kałużyści.
Wygrzebują brud z kałuży,
niech kałuża będzie czysta!
Pełne ręce ma roboty
każdy dobry kałużysta!
Rękawiczką i chusteczką
dwóch błocistów chodnik czyści.
Obrzucają się szyszkami
bardzo dzielni szyszkowiści.
Dwie kocistki pod ławeczką
cukierkami karmią kota...

Świątek, piątek czy niedziela
na podwórku wre robota!

Danuta Wawiłow